Cómo cocinar pescado de forma saludable

50 recetas frescas y deliciosas

Alina Mulas

Reservados todos los derechos.

Descargo de responsabilidad

RESUMEN

INTRODUCCIÓN

Una dieta de mariscos es una dieta vegetariana flexible que incluye pescado y otros mariscos. Cuando agrega pescado a una dieta vegetariana, obtiene los siguientes beneficios:

La proteína del pescado aumenta la saciedad en

comparación con la carne de res y el pollo. Esto significa

que se sentirá lleno rápidamente y no comerá en exceso.

Si está buscando perder algunos kilos, ahora es el

momento adecuado para comenzar a seguir una dieta

pescatariana.

El calcio es extremadamente importante para la salud de los huesos. El simple consumo de verduras no le proporciona a su cuerpo suficiente calcio. Pero agregar pescado a una dieta vegetariana

Los pescados grasos son una excelente fuente de ácidos grasos omega-3. Estos ácidos ayudan a reducir la inflamación en el cuerpo, lo que a su vez reduce el riesgo de obesidad, diabetes y enfermedades cardíacas.

En comparación con otras proteínas animales, el consumo de pescado contribuye menos a la emisión de gases de efecto invernadero. Para que pueda proteger el medio ambiente y su salud.

Para algunos, comer solo verduras, frutas y nueces puede ser aburrido. Agregar pescado u otros mariscos ayuda a mejorar el sabor y el estado de ánimo general del almuerzo o la cena.

Muchas personas son alérgicas a los huevos, intolerantes a la lactosa o pueden querer evitar comer carne o productos lácteos. Para ellos, el pescado puede ser una buena fuente de proteínas completas, calcio y grasas saludables.

¿QUÉ COMEN LOS PESCADORES?

MARISCOS: caballa, lubina, eglefino, salmón, atún, hilsa, sardina, palometa, carpa, bacalao, caviar, mejillones, langostinos, ostras, langostinos, langostas, cangrejos, calamares y vieiras.

VERDURAS: espinacas, remolachas, rábanos, zanahorias, bengala, remolachas, zanahorias, brócoli, coliflor, col rizada, col china, batatas, rábanos, nabos, chirivías, col rizada, pepinos y tomates

FRUTAS: manzana, plátano, aguacate, fresas, moras, moras, arándanos, grosellas, piña, papaya, pitahaya, maracuyá, sandía, melón, guayaba, melocotón, pera, pluot, ciruela y mango.

PROTEÍNAS: Frijoles, lentejas, pescado, champiñones, gramo de Bengala, brotes, guisantes de ojo negro, guisantes de ojo negro, garbanzos, soja, leche de soja, edamame y tofu.

TRIGO ENTERO: arroz integral, cebada, trigo partido, sorgo, pan multicereales y harina multicereales.

GRASAS Y ACEITES: aceite de oliva, aceite de aguacate, aceite de pescado, ghee, mantequilla de girasol y aceite de salvado de arroz.

Nueces y semillas   Almendras, nueces, pistachos, macadamia, piñones, avellanas, pipas de girasol, pipas de melón, pipas de calabaza, semillas de chía y lino.

Hierbas y especias   Cilantro, eneldo, hinojo, perejil, orégano, tomillo, laurel, hojuelas de chile, chile en polvo, pimiento rojo de Cachemira en polvo, cúrcuma, cilantro, comino, semillas de mostaza, mostaza inglesa, pasta de mostaza, anís estrellado, azafrán, cardamomo, clavo, ajo, canela, jengibre, macis, nuez moscada, pimienta de Jamaica, cebolla en polvo, ajo en polvo y jengibre en polvo.

BEBIDAS: Agua, agua de coco, agua detox> y zumos de frutas / verduras recién exprimidos.

Con estos ingredientes, puede elaborar fácilmente un plan de dieta nutricionalmente equilibrado. Mira este ejemplo de dieta de pescado.

ENSALADA DE MAR

Porciones: 6

INGREDIENTES

- 300 g de orecchiette
- 1 berenjena pequeña, cortada en trozos de 1 cm
- 1 cebolla morada, cortada en gajos
- 1 pimiento rojo cortado en trozos de 1 cm
- 2 dientes de ajo picados
- 125 ml de aceite de oliva virgen extra
- 250 g de cestas pequeñas de tomates cherry, cortados por la mitad
- 80 ml de vino blanco
- 500 g de mejillones preparados

- 6 calamares pequeños, limpios, cortados en aros, los tentáculos reservados
- 1 cucharada de vinagre de vino blanco
- 1 cucharada de pasta de tomate picante
- 1/3 taza de perejil de hoja plana picado
- 35 g de tomates semisecos picados
- Hojas de rúcula, para servir

PREPARACIÓN

Precaliente el horno a 220 grados Celsius y forre una bandeja para hornear con papel de aluminio.

Escurre y rehidrata la pasta según las instrucciones del paquete.

Condimente las berenjenas, la cebolla y el pimiento con el ajo y 2 cucharadas de aceite. Hornee por 15 minutos, o hasta que esté suave, en la bandeja para hornear forrada. Cocine por otros 6-8 minutos o hasta que los tomates se ablanden.

Lleva el vino a ebullición en una cacerola grande a fuego medio-alto. Cubra con una tapa y cocine por 3 minutos, o hasta que todos los mejillones se hayan abierto. Retirar los mejillones de sus conchas y dejar algunos para decorar.

En una sartén grande, caliente 1 cucharada de aceite a fuego alto. Condimentar los calamares y freír durante 1 minuto, volteando una vez o hasta que estén dorados. Eliminar de la ecuación.

En un bol, combine el vinagre, la pasta de tomate y el perejil con los 65 ml restantes de aceite. Es esa época del año. Para comer, echa el pescado, las verduras asadas, el tomate semiseco y la rúcula en un bol con el aderezo.

MARISCOS ASADOS CON LIMÓN Y HIERBAS

Porciones: 4

INGREDIENTES

- 8 gambas, cortadas por la mitad, limpias
- 8 gambas verdes grandes
- 8 vieiras en media concha
- 60 ml de aceite de oliva
- 2 dientes de ajo finamente picados
- Ralladura fina y jugo de 1 limón, más rodajas de limón para servir
- 2 cucharadas de tomillo limón o tomillo picado
- 2 cucharadas de perejil de hoja plana picado

PREPARACIÓN

Precaliente el horno a 200 ° C o 400 ° C si usa un horno de leña.

Coloque los mariscos en una sola capa en una bandeja para hornear grande. Combine el aceite, el ajo, la ralladura, el jugo y el tomillo en una taza, luego unte la mezcla sobre los mariscos y sazone. Hornee por 10 minutos (o 5-7 minutos en el centro de un horno de leña) o hasta que los mariscos estén bien cocidos. Sirve con rodajas de limón y una pizca de perejil.

COCTEL DE MARISCOS DE CAMARONES, AGUACATE Y ALBAHACA

Porciones: 4

INGREDIENTES

- 1 zanahoria, pelada y cortada en cubos
- 600 g de gambas cocidas, peladas y limpias
- 3 cebolletas, en rodajas finas (solo la parte verde)
- 1/2 pepino, pelado, sin semillas y cortado en cubos de 5 mm
- 1 aguacate, cortado en cubitos

15

- 2 cucharadas de alcaparras, picadas en trozos grandes
- Ralladura de 1 lima
- 18 g de zarcillos de guisantes
- VESTIR
- 1 cucharada de jugo de lima
- 2 cucharadas de verjuice
- 1 cucharada de mayonesa
- 1 cucharada de aceite de oliva
- 4 cucharadas de albahaca fresca picada

PREPARACIÓN

Para hacer el aderezo, mezcle todos los ingredientes (excepto la albahaca) en un tazón. Reservar después de sazonar con sal y pimienta.

Cuece los cuadrados de zanahoria durante 3 minutos en agua hirviendo. Enjuague con agua fría después de drenarlo. Se reservan 4 camarones y se dejan enteros. Combine los camarones restantes, las zanahorias, las cebolletas, los pepinos, el aguacate, las alcaparras y la ralladura de lima en un tazón.

MARISCOS DE AGUA LOCA (MARISCOS LOCOS EN AGUA)

Porciones: 6

INGREDIENTES

- 1 taza (250 ml) de vino blanco seco
- 400 g de mejillones, frotados y pelados
- 80 ml de aceite de oliva
- 3 dientes de ajo finamente picados
- 1/4 cucharadita de hojuelas de chile seco
- Lata de 400g de Tomates Ardmona Clásicos Ricos y Gruesos
- 2 hojas de laurel
- 1 ramita de tomillo

- 6 x 80 g de pescado entero (como aguja o merlán), limpios
- 2 filetes de salmonete de 80 g, cortados en 3 trozos
- 6 gambas verdes, peladas (colas intactas), peladas
- 3 calamares enteros pequeños (ver nota), limpios, tubos y tentáculos separados
- 2 cucharadas de perejil de hoja plana finamente picado

PREPARACIÓN

Poner el vino en una cacerola grande y llevar a ebullición a fuego medio-alto Agregar los mejillones, tapar y cocinar durante 2-3 minutos, agitando la sartén periódicamente, hasta que los mejillones se abran (desechar los que no lo hayan hecho). Reservar después de filtrar y reservar el líquido de cocción.

En una sartén grande, caliente 2 cucharadas de aceite a fuego medio. Cocine, revolviendo constantemente, durante 2-3 minutos, hasta que el ajo y el chile estén suaves y fragantes. Agrega los tomates, las hojas de laurel, el tomillo y el líquido de mejillón reservado. Baja el fuego y continúa cocinando durante 3-4 minutos o hasta que el líquido se haya reducido un poco. Sazone los mejillones con sal marina y pimienta recién molida en la sartén, luego tápelos y manténgalos calientes.

Mientras tanto, sazone los mariscos restantes. En una sartén grande, caliente las 2 cucharadas de aceite restantes a fuego medio-alto. Cocine el pescado entero en tandas según sea necesario durante 2-3 minutos por lado hasta que esté bien cocido, luego retírelo y reserve. Cocine el salmonete y los camarones por separado durante 1 minuto por cada lado hasta que estén bien cocidos, luego reserve. Cocine durante 30 segundos, revolviendo constantemente, hasta que los calamares estén cocidos. Vierta el caldo caliente sobre los mejillones y divida los mariscos en los tazones. Sirve con una pizca de perejil.

SOPA DE ARROZ Y PESCADO

Porciones: 4

INGREDIENTES

- 60 ml de aceite de oliva
- 1 cebolla finamente picada
- 2 dientes de ajo picados
- 1 chorizo fresco, pelado y picado
- 1 zanahoria picada
- 1 cucharadita de ralladura de naranja
- 2 litros de caldo de pescado o pollo
- 400 g de tomates picados
- 75 g de arroz de Calasparra o arborio
- 200 g de filete de salmón sin piel, deshuesado, cortado en cubos de 2 cm

- 2 tubos de calamares pequeños, limpios, cortados en aros
- 12 gambas verdes, peladas (colas intactas), peladas
- 2 cucharadas de perejil de hoja plana picado
- Huevo duro picado para decorar

PREPARACIÓN

En una cacerola grande, caliente 2 cucharadas de aceite a fuego medio. Combine la cebolla, el ajo, el chorizo, la zanahoria y la ralladura en un tazón grande. Cocine, revolviendo regularmente, durante 10 minutos o hasta que las verduras se ablanden y el chorizo comience a crujir. Llevar a ebullición el caldo, el tomate y el arroz, luego reducir a fuego lento y cocinar por 15 minutos o hasta que el arroz esté al dente.

En una sartén grande, caliente la 1 cucharada de aceite restante a fuego alto. Sazone los mariscos y cocine durante 1 minuto, a intervalos según sea necesario, hasta que estén opacos. Agregue los mariscos a la sopa y cocine por un minuto más o hasta que estén completamente calientes. Vierta en tazones y decore con perejil y un huevo si lo desea.

ENSALADA DE MAR ESPAÑOL

Porciones: 4

INGREDIENTES

- 1 kg de mejillones
- 200 ml de vino blanco seco
- 1 cucharada de vinagre de jerez o vinagre de vino tinto
- 2 cucharadas de aceite de oliva virgen extra
- 1 diente de ajo machacado
- 1 pimiento verde finamente picado
- 1 cebolla morada, finamente rebanada
- 250 g de cestas pequeñas de tomates cherry, cortados por la mitad
- 1/4 taza de ramitas de cilantro

- 1 cucharada de aceite de oliva
- 1/2 salchicha de chorizo, cortada en rodajas finas
- 12 vieiras (sin huevos)
- 1 cucharadita de pimentón ahumado (pimentón)
- Arroz con azafrán (opcional) y rodajas de limón, para servir

PREPARACIÓN

Remojar los mejillones durante una hora en agua fría, ajustando el agua dos veces (esto ayuda a quitar la arena). Escurre los mejillones con la cáscara rota o los que no cierran al golpear firmemente la encimera. Frote bien y afeite su barba.

En una cacerola a fuego medio-alto, hierva el vino, luego reduzca a fuego lento por 1 minuto. Agrega los mejillones, tapa y cocina por 2 minutos a fuego medio. Retire los mejillones que se han abierto. Cocine por un minuto más o hasta que todos los mejillones se hayan abierto. Retire el líquido del colador y déjelo a un lado.

En un bol, bata el vinagre, el aceite de oliva virgen extra y el ajo con 2-3 cucharadas del líquido de mejillón reservado. Agrega el pimiento, el repollo, el tomate y el cilantro para mezclar.

En una sartén grande, caliente el aceite de oliva a fuego medio-alto. Cocine por 1 minuto en cada mano, o hasta que el chorizo esté dorado y las vieiras estén doradas. Servir con la ensalada y el arroz con azafrán, si lo usa, después de haber salteado los mejillones con las vieiras, el chorizo y cualquier salsa de la sartén. Sirve con un chorrito de limón y una pizca de pimentón.

CRUSTÁCEOS A LA PLANCHA CON VINAIGRETA DE JEREZ

Porciones: 8

INGREDIENTES

- 1 kg de mejillones, frotados y pelados
- 600 g de calamares enteros, limpios, tentáculos y tubos separados
- 2 cucharadas de aceite de oliva
- 2 tomates
- 1 kg de camarones cocidos, pelados, limpios, cortados por la mitad a lo largo
- 2 cucharadas de perejil de hoja plana picado
- 1 cebolla morada, finamente rebanada

- 1 pimiento verde finamente picado
- 1 pimiento rojo finamente picado
- 4 cebolletas, cortadas en rodajas finas en una esquina
- Pan crujiente, para servir (opcional)
- VINAGRETA
- 125 ml de aceite de oliva virgen extra
- 2 cucharadas de vinagre de jerez * o vinagre de vino tinto
- 2 dientes de ajo machacados

PREPARACIÓN

Los mejillones con cáscara partida o los que no cierran después de un golpe fuerte en el banco deben descartarse.

Coloque los mejillones y 2 cucharadas de agua en una olla grande y profunda a fuego alto, cubra y cocine durante 2-3 minutos, agitando la sartén y revolviendo bien después de aproximadamente 1 minuto, retirando a medida que se abren. Cocine por un minuto más o hasta que todos los mejillones se hayan abierto. Retirar del sol, escurrir y dejar enfriar. Retire los mejillones de las conchas y colóquelos en un tazón grande hasta que se hayan enfriado lo suficiente como para procesarlos. Al revés, protegido.

Mientras tanto, dividir los tubos de calamar en anillos de 1 cm y cortar a la mitad los racimos de tentáculos anchos a lo largo. En una sartén grande, caliente 1 cucharada de aceite a fuego alto. Cocine, revolviendo periódicamente, durante unos 2 minutos, o hasta que los calamares estén ligeramente caramelizados y bien cocidos. Condimentar con pimienta negra recién molida y sal marina, luego dejar enfriar en un plato. Utilizando el aceite restante y el calamar, repite el proceso.

En la base de cada tomate, haz una pequeña cruz. Escaldar durante 20 segundos en una cacerola grande con agua hirviendo, luego enfriar durante 30 segundos en un recipiente con agua helada. Después de pelar los tomates, córtelos en cuartos y corte las semillas. Poner en el bol con los mejillones después de cortarlos en tiras.

Sazone los mejillones con los camarones, los calamares, el perejil, la cebolla morada, el pimiento y la cebolleta, luego revuelva suavemente para mezclar. Cubra y deje enfriar durante al menos 15 minutos; la ensalada se puede enfriar hasta por 2 horas en esta etapa.

MARISCOS FRITOS (MARISCOS MIXTOS) CON ROMESCO SALSA

Porciones: 8

INGREDIENTES

- Aceite de girasol, para freír
- 600 g de calamares enteros, limpios, tentáculos y tubos separados
- 400 g de filetes de San Pedro, cortados en trozos de 5 cm
- 16 gambas verdes sin cáscara (colas intactas), sin cáscara

- Sémola fina *, para cubrir
- Rodajas de limón, para servir
- Salsa romesco (rinde 300ml)
- 2 tomates maduros en rama, cortados por la mitad
- 8 avellanas
- 125 ml de aceite de oliva
- 1 rebanada de pan blanco de un día, sin corteza, desgarrado
- 4 dientes de ajo picados
- 1 1/2 cucharadita de hojuelas de chile seco
- 1 cucharada de vinagre de jerez * o vinagre de vino tinto

PREPARACIÓN

Precalienta el horno a 200 grados centígrados. Coloque los tomates picados boca arriba en un molde para hornear pequeño para la salsa romesco. Sazone con sal y pimienta y hornee por 25 minutos o hasta que estén tiernas. Coloque las nueces en una bandeja para hornear y tuestelas ligeramente en el horno durante los últimos 5 minutos de cocción.

Deje que los tomates se enfríen antes de pelarlos. Quita la cáscara de las nueces frotándolas con un paño de cocina limpio. En una sartén aparte, caliente 2 cucharadas de aceite a fuego medio. Agrega el pan y hornea por 3-4 minutos, volteando una vez, hasta que esté dorado, agregando el ajo por los últimos 2 minutos. Deje enfriar un poco antes de transferir a un procesador de alimentos. Agrega los tomates, las nueces, la guindilla, el vinagre, el 1/3 de taza restante de aceite de oliva, 1/2 cucharadita de sal y una pizca de pimienta negra. Licúa hasta obtener una mezcla homogénea. (La salsa se puede refrigerar hasta por dos días).

3. Caliente una freidora o una cacerola grande hasta la mitad llena de aceite de girasol a 190 ° C (un cubo de pan se dorará en 30 segundos cuando el aceite esté lo suficientemente caliente).

4. Cortar los tubos de calamar en rodajas de 1 cm, luego cortar los grandes racimos de tentáculos por la mitad a lo largo. Todo el pescado debe estar bien condimentado. Trabajando con cuatro piezas a la vez, cubra completamente con sémola y sacuda los restos.

5. Freír una cuarta parte del pescado y los camarones durante 1 minuto o hasta que estén dorados. Escurrir sobre papel absorbente durante unos minutos antes de colocar en una fuente para servir. Freír una cuarta parte de los calamares durante 30 segundos, hasta que estén dorados y crujientes, luego escurrir sobre papel absorbente antes de servir. Sirva inmediatamente con rodajas de limón y salsa romesco.

SOPA DE MARISCOS

Porciones: 4

INGREDIENTES

- 60 ml de aceite de oliva
- 500 g de pescado marinara de buena calidad
- 1 cucharadita de pimentón ahumado (ver nota)
- 1 cebolla finamente picada
- 2 dientes de ajo en rodajas
- 1 pimiento rojo, en rodajas finas
- 2 pimientos jalapeños o verdes largos, sin semillas y finamente picados
- 1/2 cucharadita de orégano seco

- 3 cucharaditas de cilantro molido
- 3 cucharaditas de comino molido
- 1 cucharadita de hojuelas de pimiento rojo (opcional)
- 2 latas de 400 g de tomates picados
- 500 ml de caldo de pescado o pollo de buena calidad
- 2 mazorcas de maíz
- Ralladura de ralladura y jugo de 1 lima
- Crema agria, aguacate picado, hojas de cilantro y tortillas asadas, para servir

PREPARACIÓN

En una sartén grande, caliente el aceite a fuego alto. Mezcle los mariscos con la mitad del pimentón en un bol, sazone y cocine durante 2-3 minutos, volteando una vez, hasta que los mariscos estén ligeramente chamuscados y recién cocidos. Retirar el pescado de la sartén y reservar.

2. Agregue la cebolla a la sartén y cocine por 1-2 minutos, revolviendo ocasionalmente, hasta que se ablande. Cocine, revolviendo constantemente, durante 2 minutos, hasta que el ajo, el pimiento, la guindilla, las hierbas secas, las especias y la 1/2 cucharadita de pimentón restante estén suaves. Baja el fuego a fuego medio-bajo y agrega el tomate y el caldo. Cocine a fuego lento, revolviendo regularmente, durante 12-15 minutos o hasta que espese un poco.

3. Cortar los granos de elote de las mazorcas. Aplica los granos a la sopa junto con los mariscos cocidos. Para recalentar, cocine a fuego lento durante 2 minutos. Retire la sartén del fuego y agregue la ralladura y el jugo de lima. Es esa época del año.

Sirva la sopa en cuatro tazones con crema agria, aguacate, cilantro y tortillas suaves.

CURRY DE MAR)

Porciones: 4

INGREDIENTES

- 2 chiles rojos secos, remojados en agua hirviendo, escurridos y picados
- 3 dientes de ajo picados
- 1 cucharada de cúrcuma fresca rallada
- 2 cucharadas de galanga rallada
- 2 tallos de limoncillo (solo el centro interior), rallados
- 2 hojuelas picadas
- Ralladura fina de 1 lima
- 1 cucharada de pasta de camarones
- 65 g de azúcar de palma rallada

- 6 hojas de lima kaffir, finamente picadas
- 400 ml de leche de coco
- 400 g de filete de ojos azules sin piel, cortado en trozos de 3-4 cm
- 12 gambas verdes, peladas (colas intactas), peladas
- 2 hojas de plátano
- 1 guindilla roja larga, finamente rebanada
- Arroz al vapor, para servir

PREPARACIÓN

1.En un mortero o procesador de alimentos pequeño, triturar o licuar la guindilla, el ajo, la cúrcuma, la galanga, el limoncillo, el schalot, la ralladura de lima, la pasta de camarones, el azúcar de palma, la mitad de las hojas de lima kaffir y 2 cucharaditas de sal hasta obtener obtienes formas de pasta fina.

2. Transfiera la pasta a una sartén mediana y cocine, revolviendo constantemente, durante 3-4 minutos o hasta que esté fragante. Lleve la leche de coco a ebullición, reservando 2 cucharadas para servir. Retirar del sol, verter en una taza y dejar enfriar un poco. Agrega los mariscos para mezclarlos.

GUISADO DE MAR CON

Porciones: 4

INGREDIENTES

- 20 ml (1 cucharada) de aceite de oliva
- 1 cebolla, finamente rebanada
- 2 dientes de ajo machacados
- 400 g de patatas kipfler, peladas y cortadas en rodajas
- 1/2 cucharadita de azafrán
- 250 ml (1 taza) de vino blanco
- 2 cucharadas de pasta de tomate secado al sol
- 400 g de tomates triturados

- 300 ml de caldo de pescado
- 1 cucharada de romero fresco picado
- 300 g de filete de pescado blanco cocido, cortado en trozos
- 400 g de mejillones negros, frotados, barbudos
- Baguettes tostadas, para servir

ROUILLE

- 1 pimiento rojo asado
- 1 papa pelada, hervida y cortada en cubitos
- 2 dientes de ajo picados
- 1 yema de huevo
- 125 ml (1/2 taza) de aceite de oliva

PREPARACIÓN

En una sartén grande, caliente el aceite a fuego medio. Cocine por 1 minuto o hasta que la cebolla se ablande. Cocine a fuego lento durante 2 minutos después de agregar el ajo, la papa, el azafrán y el vino. Cocine durante 15 minutos después de agregar la pasta de tomate, la cebolla, el caldo y el romero.

2. Sazone la pimienta, la papa, el ajo y la yema de huevo con sal y pimienta en un procesador de alimentos para hacer el rouille. Después de combinar los ingredientes, espolvorear el aceite en un chorro fino y constante hasta obtener una emulsión homogénea.

3. Sazone el guiso con sal y pimienta antes de agregar el pescado y los mejillones. Cocine por otros 5 minutos, tapado. Retire la tapa y deseche los mejillones que no se

hayan abierto. Sirva con baguettes tostadas y una cucharada de rouille encima del guiso.

GALLETA DE MAR

Porciones: 6

INGREDIENTES

- 1 cucharada de aceite de oliva virgen extra
- 1 cucharada de mantequilla sin sal
- 1 cebolla grande, finamente picada
- 1 tallo mediano de apio, finamente picado
- 2 cucharadas de harina 00
- 1/2 cucharadita de pimienta de cayena
- 2 cucharaditas de pimentón
- 1 cucharada de pasta de tomate
- 1 litro de caldo de pescado
- 250 ml (1 taza) de vino blanco

- 400 g de gambas verdes sin cáscara, rabo y sin cáscara
- 1 kg de marisco mixto (como filete de pescado blanco cortado en dados de 2 cm, mejillones, calamares y vieiras)
- 2-3 cucharaditas de jugo de limón
- 100 ml de nata líquida
- 1 cucharada de perejil de hoja plana picado
- Pan crujiente, para servir

PREPARACIÓN

En una cacerola pequeña, caliente el aceite y la mantequilla a fuego medio-bajo. Cocine a fuego lento durante 2-3 minutos o hasta que la cebolla y el apio se ablanden.

2. Agregue el arroz, la pimienta de cayena y el pimentón y cocine durante 1-2 minutos, revolviendo constantemente. Cocine por un minuto más después de agregar la pasta de tomate.

3. Poco a poco agregue el caldo de pescado, luego baje el fuego y cocine por 5 minutos. Dejar enfriar un poco antes de licuar poco a poco y volver a colocar en el molde.

4. Llevar a ebullición el vino blanco y 250ml de agua en un cazo a fuego medio-bajo. Tape y cocine durante 5 minutos con las gambas y el marisco. Con un colador, separe el líquido de los mariscos. (Asegúrese de tirar los mejillones que no se hayan abierto).

5. Caliente suavemente la sopa, luego agregue el pescado cocido, el jugo de limón y la crema. Para mezclar, mezcle todo junto.

6. Vierta el bisque en los cuencos y decore con perejil de hoja plana picado y abundante pan crujiente.

CÓCTEL DE MARISCOS TROPICALES

Porciones: 6

INGREDIENTES

- 200 ml de leche de coco
- 1 cucharada de jengibre fresco rallado
- 1 tallo de limoncillo (solo la parte ligera), finamente picado
- 1 pimiento rojo largo, sin semillas, finamente picado
- 150 g de yogur griego espeso
- 2 cucharadas de hojas de menta finamente picadas, más hojas adicionales para servir

- Ralladura y jugo de 1 lima, más rodajas de lima extra para servir
- 300 g de gambas pequeñas cocidas, peladas
- 1 langosta cocida pequeña, cortada por la mitad, carne cortada en cubos de 2 cm
- 200 g de carne de cangrejo fresca
- 1/4 de lechuga iceberg pequeña, picada

PREPARACIÓN

1. En una sartén, combine la leche de coco, el jengibre, el limoncillo y la mitad del chile. Lleve a ebullición a fuego medio, luego reduzca a fuego lento y continúe cocinando durante 2 minutos, o hasta que la salsa se espese (quedará bastante espesa). Deje reposar durante 30 minutos antes de colar en un tazón grande y presionar los sólidos. Después de desechar los sólidos, combine el yogur, la menta, la ralladura de lima y el jugo, y el chile restante en un tazón para mezclar.

2. Administre los camarones, la langosta y la carne de cangrejo en el aderezo de coco hasta que estén completamente cubiertos. Para servir, divide la lechuga en 6 vasos fríos, decora con la mezcla de mariscos y decora con más rodajas de menta y lima.

MARISCOS A LA BARBACOA CON PASTA DE TRUFA

Porciones: 4

INGREDIENTES

- 60 ml de aceite de oliva
- 3 dientes de ajo machacados
- 2 cucharadas de perejil de hoja plana picado
- La ralladura y el jugo de 1 limón, más rodajas de limón para servir.
- 4 langostinos (ver nota), cortados por la mitad a lo largo, limpios
- 8 langostinos verdes grandes, pelados (con la cabeza y el rabo intactos), pelados

- 8 vieiras grandes sin huevo
- 1-2 cucharaditas de sal de trufa (ver nota) (opcional)
- Ramitas de berros sazonados, para servir

Puré de trufa

- 500 g de patatas Pontiac o Desiree, peladas
- 80 g de mantequilla sin sal
- 50 ml de crema espesa
- 1 cucharada de aceite de trufa (ver nota), y más para condimentar

PREPARACIÓN

En un tazón grande, combine el aceite de oliva, el ajo, el perejil, la ralladura y el jugo de limón. Voltea las gambas, las gambas y las vieiras en la mezcla para cubrirlas, luego tapa y refrigera mientras haces el puré de trufa.

2. Para hacer el puré, cocine al vapor o hierva las papas hasta que estén tiernas en agua con sal durante 8-10 minutos. Escurrir y triturar hasta que quede suave con un machacador de papas o un tenedor. Mezcle la mantequilla, la leche y el aceite de trufa, luego sazone con sal marina y pimienta negra recién molida al gusto. Manténgase abrigado cubriéndose.

3. Caliente una sartén o una barbacoa a fuego medio-alto. Cocine los camarones y las gambas durante 2 minutos por cada lado, en lotes si es necesario, hasta que estén bien cocidos. Agrega las vieiras para el último

minuto de cocción, dándoles la vuelta a los 30 segundos, hasta que estén doradas por fuera pero aún translúcidas por dentro.

4. Para servir, repartir el puré de trufa entre platos y rociar con más aceite de trufa. Servir con hojas de berros y rodajas de limón, más sal de trufa si se desea, encima de las gambas, cigalas y vieiras.

TEMPURA DEL MAR

Porciones: 16

INGREDIENTES

- 500g de calamares limpios (capuchas y tentáculos)
- 40 gambas verdes
- 500 g de filete de San Pedro con piel
- Aceite de girasol o canola, para freír

SALSA DE CHILI DULCE Y CINCO ESPECIAS

- 300 ml de salsa picante tailandesa dulce
- 2 cucharadas de salsa de soja light
- 1/2 cucharadita de polvo de cinco especias
- PASTEL TEMPURA

- 225 g de harina 00
- 1 1/2 tazas (225 g) de harina de maíz
- 500-600 ml de refresco helado (de una botella nueva)

PREPARACIÓN

1.Para hacer la salsa, combine todos los ingredientes en un bol pequeño con 60ml de agua fría. Eliminar de la ecuación.

2. Dividir los tentáculos en pares y cortar los calamares en anillos de 1 cm de grosor. Retire las cabezas y pele los camarones, dejando atrás las colas. Corta el pescado en tiras gruesas del tamaño de tu dedo índice cortándolo en diagonal.

PASTELES DE MAR MEDITERRÁNEO CON AIOLI

Porciones: 6

INGREDIENTES

- 60 ml de aceite de oliva, más extra para cepillar
- 2 x 120 g de filetes de salmón sin piel
- 12 vieiras con huevo
- 12 camarones cocidos, pelados (colas intactas)
- 1 cucharada y media de jugo de limón
- 1 cucharada de eneldo picado, más ramitas para servir

- Ensalada de hojas planas de hinojo y perejil aderezada con aceite de oliva y zumo de limón, para servir
- PASTELERÍA
- 2 tazas (300 g) de harina 00
- 150 g de mantequilla fría sin sal, picada
- 1/2 cucharadita de pimienta de cayena
- 2 yemas de huevo

SALSA AIOLI

- 1 taza (250 ml) de aceite de canola
- 50 ml de aceite de oliva virgen extra sabor limón
- 4 dientes de ajo
- 2 cucharadas de jugo de limón
- 3 yemas de huevo

PREPARACIÓN

1.En un procesador de alimentos, la harina de legumbres, la mantequilla, la pimienta de cayena y una pizca de sal hasta que la mezcla parezca un pan rallado fino. Agrega las yemas de huevo y 2 cucharadas de agua fría hasta que la mezcla forme una bola suave. Refrigere durante 30 minutos después de envolverlo en una envoltura de plástico.

2. Precaliente el horno a 190 grados centígrados. Sobre una tabla de hojaldre ligeramente enharinada, extienda el hojaldre hasta un grosor de 3-5 mm. Para forrar seis moldes para tartas de 10 cm con fondos sueltos, corte seis círculos de 12 cm. Forre las cáscaras de las tartas con papel pergamino y pesas para pasta o arroz crudo y

coloque las bandejas en una bandeja para hornear grande. Retire el papel y los pesos o el arroz después de 10 minutos de cocción a ciegas. Hornee por otros 3 minutos o hasta que la masa esté dorada y crujiente. Deje enfriar antes de retirar las cáscaras de las macetas.

Mientras tanto, prepara la salsa alioli mezclando los aceites en una jarra. En un procesador de alimentos, mezcle el ajo, el jugo y las yemas de huevo con una pizca de sal, luego mezcle hasta que quede suave. Con el motor en marcha, sazone lentamente el aceite hasta obtener una mayonesa espesa. Sazone al gusto, luego cubra y refrigere hasta su uso (hasta 4 días).

4. Caliente el aceite extra en una sartén a la parrilla o en una sartén de fondo grueso a fuego alto. Cocine el salmón durante 1-2 minutos por cada lado hasta que esté cocido cuando la sartén esté caliente. Eliminar de la ecuación. Las vieiras deben cocinarse durante 30 segundos por cada lado o hasta que se vuelvan opacas. Rompe el salmón en trozos y combínalo con las vieiras y los camarones en un tazón grande. Sazone con sal y pimienta, luego sazone suavemente los mariscos con el aceite, el jugo de limón y el eneldo.

5. Para servir, esparcir un poco de alioli sobre las conchas del bizcocho, decorar con mariscos y terminar con una ramita de eneldo. Sirve con una ensalada de hinojo.

MARISCOS A LA PLANCHA CON SALSA DE VERDURAS ASADAS

Porciones: 4

INGREDIENTES

- 500 g de calamares en botella, limpios
- 8 langostinos, cortados por la mitad
- 1 kg de camarones grandes, sin cabeza (el caparazón y la cola permanecieron intactos), cortados por la mitad a lo largo y pelados
- 125 ml de aceite de oliva, más 2 cucharadas para condimentar la rúcula

- 3 dientes de ajo, un puñado de hojas de albahaca trituradas
- 80 ml de jugo de limón
- 100 g de rúcula silvestre
- 1 cucharada de vinagre de jerez
- SALSA DE VERDURAS ASADAS
- 2 pimientos rojos (500 g en total)
- 1 berenjena
- 2 dientes de ajo picados
- 6 filetes de anchoa picados
- 1 cucharada de alcaparras saladas, enjuagadas
- 125 ml de aceite de oliva virgen extra

PREPARACIÓN

1) Conserva los tentáculos del calamar después de cortarlos. Abra los tubos y acaricie suavemente una mano. Combine todos los calamares, las gambas y las gambas en un plato. Sazone con sal y pimienta, luego sazone los mariscos con aceite, ajo, albahaca y jugo de limón. Cuando esté haciendo la salsa, marine la carne en el refrigerador.

2. Precaliente una barbacoa ligeramente aceitada a fuego medio-alto para la salsa. Los pimientos y las berenjenas deben cocinarse hasta que la piel se queme y la pulpa se ablande. Dejar enfriar en un bol antes de cubrir con film transparente. Retire las semillas de los pimientos y mezcle la pulpa en una licuadora (reservando los jugos).

3. Cortar las berenjenas a la mitad, quitar la pulpa y mezclar con el ajo, las anchoas y las alcaparras en una licuadora. Para obtener una salsa suave, licúe hasta obtener un puré y luego agregue aceite mientras el motor aún está en funcionamiento. (Si la salsa está demasiado espesa, dilúyala con un poco del jugo de pimienta reservado).

4. Vierta el exceso de aceite y vinagre sobre la rúcula, sazone y coloque en platos. Asa el pescado hasta que esté recién terminado, luego colócalo sobre las hojas de rúcula y sírvelo con una guarnición de salsa.

HELADO DE MARISCOS

S.

Porciones: 8

INGREDIENTES

- 50 conchas (opcional), para decorar
- 36 cubitos de hielo
- 250 g de almejas y pis
- 1 cebolla morada pequeña, finamente picada
- 2 dientes de ajo machacados
- 4 cucharadas de cebollino fresco picado
- 80 ml (1/3 taza) de vinagre de vino tinto
- 160 ml (8 cucharadas) de aceite de oliva virgen extra
- 1 langosta cocida
- 2 cangrejos azules cocidos

- 20 camarones cocidos
- 2 docenas de ostras recién peladas
- MAYONESA DE LIMÓN
- 2 tazas de mayonesa de buena calidad
- 150 ml de crema fresca
- 1 limón, ralladura
- 2 limones exprimidos

PREPARACIÓN

1. Necesitarás dos cuencos de plástico para hacer el cuenco de hielo: uno con una capacidad de 3 litros y el otro un poco más pequeño. Llene el tazón más grande hasta la mitad con hielo y conchas. Coloque el tazón más pequeño sobre el hielo y presiónelo hacia abajo. Use las latas para pesar la tina superior.

2. Coloque en el congelador y llene el recipiente inferior hasta la mitad con agua fría. Congele durante al menos 24 horas.

3. En un baño, mezclar las almejas y pipis con 125ml de agua y 125ml de vino. Cocine por 1-2 minutos, tapado, a fuego alto. El líquido y las almejas o pipis que no se hayan abierto deben desecharse. Espere a que se enfríe.

4. Vierta 300 ml de agua caliente en el recipiente superior y deje reposar durante un minuto antes de escurrir. Retire el tanque externo.

5. En un tazón grande, sazone la cebolla, el ajo, el cebollino, el vinagre y el aceite.

6. Para hacer mayonesa de limón, bata todos los ingredientes en un bol. Sazone al gusto. Mezclar los mariscos grandes con el condimento y cortarlos en trozos pequeños. Sirva con mayonesa y una pila de pescado en una bandeja para cubitos de hielo.

ARROZ DE AZAFRÁN CON MARISCOS (ARROZ AZAFRAN MARINERA)

Porciones: 4

INGREDIENTES

- 250 g de gambas verdes medianas
- 1 hoja de laurel
- 750 g de mejillones, limpios, sin barba
- 250 ml (1 taza) de vino blanco español
- 1 cucharadita de hebras de azafrán español
- 40 ml (2 cucharadas) de aceite de oliva español
- 2 cebollas finamente picadas
- 2 dientes de ajo machacados
- 1 pimiento rojo, sin semillas, picado

- 300 g de arroz de Calasparra
- 750 g de calamares limpios y cortados en aros
- 1 cucharada de hierbas mixtas picadas (como tomillo, orégano, perejil)

PREPARACIÓN

1. Pelar las gambas y poner las cabezas en un cazo para hacer el caldo; dejar la carne a un lado. Deje hervir con 750 ml (3 tazas) de agua y una hoja de laurel. Reduzca a fuego lento y continúe cocinando por 10 minutos, luego cuele y reserve el caldo. Los sólidos deben desecharse.

2. En una cacerola, mezcla los mejillones y el vino, tapa y cocina a fuego medio unos 15 minutos, revisando cada par de minutos y retirando los mejillones a medida que se abren. (Los mejillones que no se hayan abierto deben desecharse). Retire las tres cuartas partes de los mejillones de la concha, desechando las conchas y el líquido. (Mantenga el resto de los mejillones en su caparazón para usarlos como guarnición).

3. En una sartén de fondo grueso, caliente el aceite a fuego medio. Seque el azafrán asado hasta que esté fragante. Tape y reserve el caldo reservado para infundir.

En una cacerola mediana, caliente el aceite de oliva. Sofría la cebolla, el ajo y el pimiento durante 3-4 minutos o hasta que la cebolla se ablande. Baja el fuego a bajo, tapa y cocina por 20 minutos con el caldo de arroz y azafrán. Verifique que esté cocido y cocine por unos minutos más si es posible, hasta que el arroz esté tierno y se haya absorbido la mayor parte del líquido. Cocine por 5 minutos o hasta que los calamares, los camarones se reserven y las hierbas estén recién terminadas. Agrega los mejillones y sirve inmediatamente, decorando con los mejillones con la cáscara reservada.

GUISADO DE MARISCOS

Porciones: 8

INGREDIENTES

- 60 ml de aceite de oliva
- 1 cebolla, finamente rebanada
- 1 hinojo, en rodajas finas
- 2 zanahorias, peladas y en rodajas finas
- 2 dientes de ajo machacados
- 1/2 cucharadita de hebras de azafrán
- 1 cucharadita de semillas de hinojo
- 1 pimiento rojo largo, sin semillas, finamente picado
- 1 litro de caldo de pescado
- 800 g de tomates triturados

- 2 hojas de laurel
- 1 taza (250 ml) de vino blanco
- 1 kg de mejillones sin barba
- 6 calamares pequeños (incluidos los tentáculos), limpios, cortados en anillos
- 16 gambas verdes, peladas (colas intactas), peladas
- 500 g de pescado blanco duro (como el bacalao azul), sin piel, cortado en trozos de 2 cm
- 2 cangrejos azules cocidos, picados
- Gremolata, para servir

PREPARACIÓN

En una sartén grande, caliente 2 cucharadas de aceite de oliva. Agrega la cebolla, el hinojo y las zanahorias. Cocine durante 2-3 minutos a fuego lento o hasta que se ablanden. Cocine un minuto más después de agregar el ajo, las hebras de azafrán, las semillas de hinojo y la guindilla. Deje cocer el caldo de pescado, los tomates y las hojas de laurel durante 20 minutos a fuego lento (este plato se puede preparar hasta este punto con mucha antelación si lo desea). Ponga el vino en una cacerola justo antes de servir el guiso, agregue los mejillones y cocine tapado a fuego fuerte hasta que los mejillones se abran (deseche los que no se abran). El vino de cocción debe colar en la base del guiso, pero los mejillones deben conservarse.

2. Precalentar la sartén en la que se frieron los mejillones. Caliente el aceite restante, luego agregue

rápidamente los calamares y cocine por 1-2 minutos. Aplicar al guiso.

3. Cocine los camarones y el pescado en la sartén durante 1-2 minutos por ambos lados o hasta que estén bien cocidos. Luego agregue el cangrejo y los mejillones reservados al guiso. Cocine a fuego lento, revolviendo ocasionalmente, durante 2-3 minutos a fuego lento.

4. Sazone generosamente con sal y pimienta negra. Sirva en tazones grandes de gremolata encima.

RISOTTO TAILANDÉS CON MARISCOS

Porciones: 4

INGREDIENTES

- 3 cucharadas de aceite de oliva ligero
- 1 cebolla mediana, finamente picada
- 2 dientes de ajo machacados
- 2 cucharadas de pasta de curry rojo tailandés
- 300 g de arroz arborio
- 300 ml de caldo de pescado o verduras
- 300 ml de leche de coco
- 4 hojas frescas de lima kaffir, finamente picadas

- 1 tallo de limoncillo, finamente picado
- 1 calamar mediano (unos 200 g), limpio y cortado en aros
- 200 g de gambas verdes peladas y con rabo
- 150 g de vieiras limpias
- 1 cucharada de harina sazonada

PREPARACIÓN

1. Precalienta el horno a 180 grados centígrados.

En una sartén calentar 1 cucharada de aceite y agregar la cebolla. Cocine por 1 minuto a fuego medio o hasta que se ablanden. Combine el ajo y la pasta de curry en una fuente para hornear. Para liberar los sabores, cocine por 1 minuto. Cocine durante 1-2 minutos, revolviendo constantemente. Combine el caldo, la leche de coco y la mitad de las hojas de lima en un tazón. Sal y pimienta para probar. Llevar a ebullición a fuego alto. Retire la sartén del fuego y déjela a un lado.

3.En un bol para hornear engrasado, vierte con cuidado la mezcla, cubre con papel de aluminio y cocina por 15 minutos. Retirar del horno y mezclar bien. Agregue 1/2 taza de agua o caldo si la mezcla está demasiado seca. Tape y hornee por otros 10 minutos. Agregue la mitad de los mariscos, cubra y cocine por otros 10 minutos o hasta que los mariscos estén completamente cocidos.

4. Mientras tanto, vierta el resto de los mariscos en la harina sazonada.

En una sartén limpia, caliente el aceite restante, luego agregue los mariscos y cocine a fuego alto hasta que estén crujientes.

6. Asegúrese de mezclar bien el risotto. Adorne con las hojas de lima restantes y los mariscos salteados.

CURRY DE MAR

Porciones: 4

INGREDIENTES

- 2 cucharadas de aceite vegetal
- 1 cebolla, finamente rebanada
- 1 diente de ajo machacado
- 2 cm de jengibre rallado
- 2 cucharadas de pasta de curry suave
- 1 cucharada de puré de tomate
- 500 g de filetes de pescado blanco (como ojo azul o perca), deshuesados, cortados en trozos de 2 cm
- 300 g de gambas verdes peladas y con la cola intacta

- 2 latas de 270ml de leche de coco
- 60 ml de caldo de pescado o pollo
- 1 cucharadita de palma o azúcar granulada
- 2 cucharadas de jugo de lima
- 2 cucharadas de hojas de cilantro picadas, más hojas enteras para decorar
- Arroz integral de grano medio al vapor, para servir
- Rodajas de lima, para servir

PREPARACIÓN

En una sartén de fondo grueso, caliente el aceite a fuego medio. Cocine, revolviendo constantemente, hasta que la cebolla se ablande. Cocine por unos segundos después de agregar el ajo y el jengibre.

2. Agregue la pasta de curry y el puré de tomate y cocine por 1 minuto, revolviendo constantemente, hasta que esté fragante.

3. Agregue los mariscos a la sartén y cubra con cuidado. Sazone con sal y pimienta después de agregar la leche de coco, el caldo y el azúcar. Lleve a ebullición, luego reduzca a fuego lento y cocine por otros 10 minutos, o hasta que los mariscos estén completamente cocidos. Combine el jugo de limón y el cilantro picado en un tazón. Adorne con hojas de cilantro y una rodajita de lima y sirva con arroz al vapor.

MARISCOS EN JALEA DE CHARDONNAY

Porciones: 4

INGREDIENTES

- 3 hojas de gelatina *
- 200 ml de chardonnay
- 1 1/2 cucharadas de salsa de pescado
- 200 g de gambas cocidas, peladas y con el rabo intacto
- 120 g de carne de cangrejo azul marino cocida
- 100 g de salmón ahumado, cortado en tiras finas
- Jugo de 1/2 limón
- 1 cucharada de eneldo picado

- Tostada Melba, para servir

PREPARACIÓN

1. Enfríe 4 vasos de martini grandes (o similar).

2. Ablande las hojas de gelatina sumergiéndolas en agua fría (unos 5 minutos).

3. Reducir el vino a la mitad en una sartén a fuego alto. Exprime la gelatina y ponla en la sartén. Revuelva hasta que el azúcar se disuelva por completo. Colocar en una jarra medidora con la salsa de pescado y suficiente agua fría para hacer 600ml de líquido.

4 Vierta los mariscos con limón y eneldo en un plato. Agregue los condimentos y mezcle para combinar.

5. En cada botella, apile una pequeña cantidad de mariscos, agregue un poco de la mezcla de vino y déjela enfriar durante 15 minutos. Repita hasta que los vasos estén completamente llenos y solidificados. La tostada Melba es un acompañamiento perfecto.

FRITOS MIXTOS (MARISCOS Y VERDURAS FRITAS)

Porciones: 6

INGREDIENTES

- Tubos de calamar de 250 g, cortados en aros
- 12 gambas verdes, peladas, sin huevo, con la cola intacta
- 400 g de pescado blanco cocido, cortado en trozos de 2 cm
- 100 g de morralla
- 2 calabacines (unos 200 g), en rodajas finas
- 1 manojo de espárragos finos, puntas recortadas
- 12 hojas de salvia

- 1 taza (150 g) de harina con levadura
- 1 cucharada de harina de maíz
- 1/2 cucharadita de bicarbonato de sodio
- Aceite de girasol, para freír
- Rodajas de limón, para servir

PREPARACIÓN

1.Para eliminar el exceso de humedad, coloque el pescado, las verduras y la salvia sobre una toalla de papel. Para obtener una masa homogénea, tamice la harina con levadura y la harina de maíz en un bol, agregue el bicarbonato de sodio, sazone con sal y pimienta y mezcle lentamente en 350ml de agua fría.

2. Calentar una freidora o una cacerola grande a 190 ° C y llenarla hasta la mitad con aceite. (El aceite está listo cuando un cubo de pan se vuelve dorado en 30 segundos.) Trabajando en lotes, sumerja las verduras, las especias y los mariscos en la masa y fría hasta que estén dorados, moviendo los trozos para evitar que se aglutinen. Retirar del horno, escurrir sobre papel absorbente y dejar calentar hasta que todo esté terminado. Sirve con rodajas de limón y una pizca de sal marina.

PARRILLA MIXTA CON VINAIGRETA DE TOMATE

Porciones: 4

INGREDIENTES

- 8 gambas verdes
- 8 gambas congeladas *, descongeladas
- 500g de filete de atún
- Aceite de oliva ligero, para cubrir
- 1/4 taza de hojas de perejil de hoja plana
- 1 limón, cortado en cuartos, para servir
- VESTIR
- 1 tomate, finamente picado
- 1 diente de ajo machacado

- 1 cucharada de jugo de limón
- 60 ml de aceite de oliva

PREPARACIÓN

1. Para hacer el aderezo, mezcle el tomate, el ajo, el jugo de limón y el aceite de oliva hasta que quede suave, luego sazone con sal marina y pimienta negra recién molida al gusto.

2. Excave los camarones quitando las cabezas y dándoles la vuelta.

3. Cortar las gambas por la mitad a lo largo, quitar la vena y enjuagar con agua fría para limpiarlas. Hacer cuatro filetes pequeños con el atún. Espolvorea todo con aceite de oliva y sazona con sal y pimienta.

4. Precaliente una parrilla o asador ligeramente engrasado a fuego medio-alto. Cuando la parrilla esté caliente, coloque los camarones picados y las gambas en la parrilla (en lotes si es necesario). Cocine de 1 a 2 minutos por un lado hasta que estén bien coloreados, luego dé la vuelta y cocine por 30-60 segundos por el otro lado o hasta que estén bien cocidos. Cocine el atún de lado durante 1-2 minutos, girándolo hasta la mitad para crear marcas de parrilla entrecruzadas. En su lugar, cocine por otro minuto.

5. Coloque todos los mariscos en una fuente grande de manera relajada. Repartir sobre el aderezo y decorar con perejil.

Sirva con rodajas de limón aparte. S.

BARBACOA SEA KEEPER CON SALSA ROMESCO

Porciones: 12

INGREDIENTES

- 12 vieiras sin huevo
- 8 cebolletas, cada una cortada en 4 trozos
- 12 gambas verdes, peladas (colas intactas), peladas
- 6 espárragos, puntas leñosas cortadas, cada una cortada en 4 trozos, ligeramente blanqueados
- Aceite de oliva para cepillar
- Rodajas pequeñas de limón, para servir
- SALSA ROMESCO

- 80 ml de aceite de oliva virgen extra afrutado o de baja acidez
- 10 avellanas
- 10 almendras blanqueadas
- 1 rebanada de pan blanco, sin corteza
- 5 pimientos de piquillo (unos 100g)
- 1/4 cucharadita de pimentón ahumado
- Una pizca de pimienta de cayena
- 4 dientes de ajo
- 2 cucharaditas de vinagre de jerez
- 1 tomate maduro, pelado, sin semillas y picado grueso

PREPARACIÓN

1. Para evitar quemaduras solares, sumerja 12 brochetas de madera (o ramitas de hojas de laurel cortadas para darle un aspecto rústico) en agua fría durante 2 horas.

2. En una cacerola pequeña a fuego medio-bajo, caliente 2 cucharadas de aceite para la salsa romesco. Cocine, revolviendo constantemente, durante 5 minutos o hasta que se doren. Retire las nueces y colóquelas sobre una toalla de papel arrugada para que escurran. Freír el pan en la sartén durante 2 minutos por ambos lados o hasta que esté dorado. Deje enfriar un poco antes de mezclar con nueces, pimientos, pimentón, pimienta de cayena, ajo, vinagre, tomate y el aceite restante en un procesador de alimentos para hacer una pasta. Sazone al gusto.

3. Extraiga los nervios, las membranas o los músculos duros y blancos de las vieiras cortándolos o sacándolos. Enjuague bien y enjuague con una toalla de papel. En una brocheta, poner dos piezas de cebolla. Enhebre un camarón en una brocheta rizando los extremos. Enhebre dos piezas de espárragos, luego una vieira, en el alambre. Para hacer 12 brochetas, repita con la cebolla, los camarones, los espárragos y las vieiras restantes.

CONSEJOS DE PESCADO

Porciones: 24

INGREDIENTES

- 500 g de filetes de pescado (salmón o maruca)
- 1 taza de puré de papas, enfriado
- 4 cebolletas picadas
- 2 cucharadas de perejil de hoja plana picado
- 1 cucharada de mostaza inglesa tibia
- 1 yema de huevo
- ⅓ taza de harina 00
- 1 huevo batido
- 1 taza de pan rallado panko

- Aceite vegetal para freír
- Mayonesa de huevo entero y perejil extra, para servir

PREPARACIÓN

1. En un robot de cocina, licúa el pescado hasta formar una pasta. Combine las papas, la cebolla, el perejil, la mostaza y la yema de huevo en una fuente para hornear. Sazone con sal y pimienta al gusto.

2. Haga albóndigas con cucharadas de mezcla de pescado. Con harina, huevos y pan rallado, cubra cada albóndiga. Disponga en una bandeja para servir.

En una cacerola, calienta el aceite a fuego medio-alto. A veces, sumerja suavemente las bolas en el aceite y cocine durante 1-2 minutos o hasta que estén doradas. Sirve con mayonesa y perejil encima.

PATATAS FRITAS DE PESCADO Y TRUCOS DE JAMIE OLIVER CON GUISANTES DE MUSGO DE ESTRAGÓN

Porciones: 4

INGREDIENTES

- 50 g de harina 00
- 2 huevos, ligeramente batidos
- 3 tazas (210 g) de pan rallado fresco
- 1 cucharadita de hojuelas de chile seco
- 4 filetes de platija sin piel (pedir a la pescadería), cortados en tiras de 4 cm de ancho

- Aceite de girasol, para freír Berros o micro hierbas, para servir

CHIPS DE TRUCO

- 1 kg de patatas sebago, frotadas (con piel), cortadas en copos de 1 cm de grosor
- 3 ramitas de romero, hojas recogidas
- 60 ml de aceite de oliva
- 2 dientes de ajo, en rodajas finas
- GUISANTES BLANDOS
- 25 g de mantequilla sin sal
- 400 g de guisantes frescos (o congelados, descongelados)
- 1 manojo de estragón, hojas finamente picadas
- 1/2 jugo de limón, más rodajas de limón para servir

PREPARACIÓN

1. Precalienta el horno a 200 grados centígrados. Hervir las patatas durante 3-4 minutos en una cacerola con agua hirviendo con sal para las patatas fritas. Dejar enfriar y secar después de escurrir.

2. Verter las patatas fritas con romero, aceite y una pizca de sal en una bandeja para horno. Después de 20 minutos en el horno, retira la sartén del horno y agrega el ajo. Cocine por otros 15-20 minutos o hasta que estén dorados y crujientes.

Mientras tanto, derrita la mantequilla en una sartén a fuego medio para los guisantes suaves. Cocine, tapado, durante 10 minutos (3 minutos para congelados) o hasta que estén blandos, agregando guisantes frescos y estragón al gusto. Condimente con jugo de limón. Triturar hasta que esté pastoso. Para mantenerse abrigado, cúbrase.

4. Divida el arroz, el huevo y el pan rallado en tres tazones. Sazone las migas con sal y pimienta, así como las hojuelas de pimiento rojo. Primero hay que enharinar el pescado, luego sumergirlo en el huevo, sacudir el exceso y luego el pan rallado. Condimente con sal y pimienta, reserve y repita con el resto del pescado.

CRUJIENTE DE PESCADO CON ZANAHORIAS ASADAS Y ENSALADA DE NARANJA Y OLIVA

Porciones: 4

INGREDIENTES

- 3 zanahorias grandes, cortadas en palitos grandes
- 1 cucharadita de pimentón
- Una pizca de pimienta de cayena
- 60 ml de aceite de oliva virgen extra
- 75 g de pan rallado seco

- 4 filetes de pescado blanco sin piel gruesos de 150 g (como ojo azul)
- 50 g de mantequilla sin sal, derretida
- 1/2 manojo de berros, ramitas recogidas
- 1 naranja, pelada, sin médula, segmentada
- 1/2 cebolla morada, finamente rebanada
- 1/2 taza (60 g) de aceitunas negras sin hueso, cortadas por la mitad
- 1 cucharada de vinagre de vino blanco
- 150 g de mayonesa con huevos enteros
- 1 cucharada de harissa

PREPARACIÓN

1. Precaliente el horno a 220 grados Celsius y forre dos bandejas para hornear con papel pergamino.

2. Sazone las zanahorias con las especias y 1 cucharada de aceite. Extienda en una bandeja para hornear y hornee durante 15-20 minutos o hasta que se ablanden.

Mientras tanto, sazone el pan rallado y extiéndalo en una bandeja para hornear. Unte el pescado con mantequilla y luego enrolle las migajas. Coloque el pescado en la segunda sartén. Cocine por otros 15 minutos, o hasta que el pescado esté crujiente y bien cocido, y las zanahorias estén doradas.

En un tazón, combine los berros, la naranja, la cebolla y las aceitunas. Sazone con sal y pimienta, luego vierta el vinagre restante y 2 cucharadas de aceite sobre la ensalada y mezcle para combinar.

PESCADO ASADO CON CHORIZO, CAPSICO Y PATATAS

Porciones: 4

INGREDIENTES

- 2 cucharadas de aceite de oliva
- 1 chorizo, sin piel, finamente picado
- 2 cebollas picadas
- 1 pimiento rojo, picado grueso
- 1 pimiento verde, picado grueso
- 1 cucharadita de pimentón ahumado (pimentón) *
- 6 anchoas en aceite, picadas en trozos grandes

- 500 g de patatas cerosas, peladas y cortadas en trozos de 2 cm
- 400 ml de vino blanco seco
- 4 x 150 g de filetes de pescado blanco gruesos (como maruca)
- Perejil de hoja plana picado, para servir

PREPARACIÓN

1. En una sartén profunda antiadherente, caliente el aceite a fuego medio. Cocine, revolviendo ocasionalmente, hasta que el chorizo, la cebolla, el pimiento, el pimentón y las anchoas estén transparentes y el chorizo comience a dorarse, 3-4 minutos.

2. Agregue la papa a la sartén, cubra parcialmente con la tapa y cocine por 25 minutos, o hasta que las papas estén casi tiernas y las verduras blandas.

3. Agregue el vino a la sartén, deje hervir, luego reduzca a fuego medio-bajo y continúe cocinando durante 2-3 minutos o hasta que se reduzca ligeramente. Agregue el pescado, tape y cocine durante 6-8 minutos o hasta que el pescado esté cocido. Sirva inmediatamente con una guarnición de perejil o cámbielo a una fuente para servir antes de servir.

PESCADO AL HORNO CON ALCAPRES, PATATAS Y LIMÓN

Porciones: 4

INGREDIENTES

- 8 papas pequeñas charladas, con piel, en rodajas finas (lo ideal es una mandolina o un pelador de papas)
- 60 ml de aceite de oliva virgen extra
- 4 x 200 g de filetes de pescado blanco firme sin piel (como pargo)
- 1/2 limón, en rodajas finas
- 1 cucharada de alcaparras bebé saladas, enjuagadas y escurridas

- Un puñado de hierbas suaves (como cilantro, perejil de hoja plana, eneldo, estragón, perifollo o hinojo), picadas

PREPARACIÓN

1. Precaliente el horno a 200 ° C y una bandeja para hornear a 180 ° C. Estire cuatro hojas grandes de papel pergamino y cuatro hojas grandes de papel de aluminio.

2. Divida la papa entre las hojas de papel, agregando dos capas al centro de cada hoja. Sazone con la mitad del aceite de oliva y sazone con sal y pimienta. Completar con un filete de pescado y una rodaja de limón, luego alcaparras, hierbas mixtas y sal marina. Vierta las 112 cucharadas restantes de aceite de oliva sobre todo. Cubra el pescado con film transparente, metiendo los extremos hacia abajo para formar un paquete y proteja con papel de aluminio. Hornee durante 20-30 minutos, hasta que la papa esté tierna, en la bandeja para hornear precalentada.

TRUCHA DE OCÉANO AHUMADA CON FLORES DE PLÁTANO Y SALSA DE PESCADO DULCE

Porciones: 4

INGREDIENTES

- 1/3 taza de aceite de coco
- 2 x 200g de filetes de trucha ahumada en caliente
- 4 hojas de flor de plátano, en rodajas finas
- 1/2 taza de hojas de albahaca tailandesa
- 1/2 taza de hojas de cilantro

- 2 cucharadas de ajo en rodajas finas, frito y enfriado
- 1 cucharada de chalota asiática frita
- 1 pimiento rojo, sin semillas, picado
- 2 chiles rojos secos largos, desmenuzados
- 2 hojas de lima kaffir, finamente picadas
- Rodajas de lima, para servir
- SALSA DE PESCADO DULCE
- 250 g de azúcar de palma rallado
- 1/2 cebolla morada, en rodajas
- 1 tallo de limoncillo, magullado
- 4 hojas de lima kaffir
- Trozo de 3 cm de galanga o jengibre, en rodajas
- 4 raíces de cilantro, peladas
- 2 cucharadas de salsa de pescado y pasta de tamarindo

PREPARACIÓN

1. Caliente el azúcar y 2 cucharadas de agua en una cacerola a fuego medio, revolviendo constantemente, hasta que el azúcar se disuelva. Deje hervir con la cebolla, el limoncillo, las hojas de lima kaffir, la galanga y el cilantro.

2.Reduzca a fuego medio-bajo y continúe cocinando durante 5-6 minutos o hasta que esté ligeramente caramelizado. Combine la salsa de pescado y el tamarindo en un tazón para mezclar. Retirar del sol, filtrar y dejar enfriar.

En una sartén a fuego medio-alto, calienta el aceite y fríe la trucha durante 1-2 minutos por cada lado, o hasta que esté caliente. Retirar la carne, enjuagarla con una toalla de papel y cortarla en trozos grandes.

4. Montar la trucha y el resto de los ingredientes en los platos, luego rociar con la salsa.

ROLLOS DE PEZ ESPADA CON CAPERS, TOMATES Y ACEITUNAS

Porciones: 4

INGREDIENTES

- 1 rebanada gruesa de pan, como masa madre o ciabatta, sin corteza, rasgada
- 1 cucharada de hojas de mejorana
- 2 x 180 g de filetes de pez espada, sin piel
- 1 cucharada de aceite de oliva virgen extra, más una gota para condimentar
- 1 diente de ajo pequeño, en rodajas finas
- Pizca pequeña de hojuelas de chile seco
- 1 cucharada y media de piñones (opcional)

- 250 g de tomates cherry maduros, cortados por la mitad
- 1 cucharada de alcaparras saladas, enjuagadas
- 55 g de aceitunas kalamata, sin hueso
- 100ml de vino blanco seco (como pinot grigio)
- Un puñado pequeño de perejil de hoja plana y hojas de hinojo (opcional), picado

PREPARACIÓN

1. Caliente el azúcar y 2 cucharadas de agua en una cacerola a fuego medio, revolviendo constantemente, hasta que el azúcar se disuelva. Deje hervir con la cebolla, el limoncillo, las hojas de lima kaffir, la galanga y el cilantro.

2.Reduzca a fuego medio-bajo y continúe cocinando durante 5-6 minutos o hasta que esté ligeramente caramelizado. Combine la salsa de pescado y el tamarindo en un tazón para mezclar. Retirar del sol, filtrar y dejar enfriar.

En una sartén a fuego medio-alto, calienta el aceite y fríe la trucha durante 1-2 minutos por cada lado, o hasta que esté caliente. Retirar la carne, enjuagarla con una toalla de papel y cortarla en trozos grandes.

4. Montar la trucha y el resto de los ingredientes en los platos, luego rociar con la salsa.

CARAMELO CON SALSA DE CARAMELO Y SLAW DE LIMA

Porciones: 4

INGREDIENTES

- 250 g de azúcar de palma rallado
- 60 ml de salsa de pescado de la mejor calidad
- 60 ml de zumo de lima
- 1 kg de solomillo de ternera de primera calidad alimentado con pasto
- 6 chiles rojos largos, sin semillas y en rodajas finas
- SLAW SIN PROCESAR
- 2 tazas de cada blanco en rodajas finas

- repollo y lechuga iceberg, (lo ideal es una mandolina)
- Jugo de 3 limones rellenos

PREPARACIÓN

1. Ponga el azúcar y 1 taza (250 ml) de agua en una cacerola a fuego medio, revolviendo hasta que el azúcar se haya disuelto. Deje hervir y cocine a fuego lento durante 12-15 minutos, hasta que la mezcla se espese y tenga un ligero color caramelo. Retire del fuego, luego agregue la salsa de pescado y el jugo de lima, revolviendo suavemente para combinar. Aparte el caramelo de la salsa de pescado.

2. Precaliente la placa de la parrilla a fuego completo.

3.Para la ensalada cruda, combine el repollo y la lechuga en un tazón grande, sazone con sal y pimienta, luego sazone generosamente con el jugo de limón. Poner a un lado.

Use sus manos para frotar 1 cucharadita de sal marina por toda la carne. Dorar durante 1-2 minutos de cada lado hasta que esté completamente dorado (asegúrese de aplicar siempre la carne en un lugar de la parrilla que no se haya disipado el calor durante la cocción). Retirar del fuego, dejar reposar durante 5 minutos, luego cortar en rodajas; será muy raro en el medio.

5. Coloque la ensalada en un plato para servir, luego decore con las rodajas de carne. Adorne con la guindilla, luego sirva rociado con el caramelo.

CARPACCIO DE MARINÍN CON PASTA DE CHILE VERDE

Porciones: 4

INGREDIENTES

- 600g de pez rey de calidad sashimi *
- 4 chiles verdes largos, sin semillas, finamente picados
- 1/2 taza de hojas de cilantro
- Jugo de 4 limones
- 80 ml de aceite de oliva
- 80 ml de salsa de soja japonesa
- Microhierbas u hojas de ensalada baby, para servir

PREPARACIÓN

1. Enfríe las rodajas de pescado, que deben tener 5 mm de grosor, hasta que estén listas para comer.

2. Limpiar el chile y el cilantro hasta que se forme una pasta en el tazón de un procesador de alimentos pequeño. Mezcle el jugo de lima y el aceite lo suficiente para que quede pegajoso (desea terminar con una pasta suave y derretida).

3. Coloque el pescado en un plato para servir y rócielo con salsa de soja. Adorne con micro hierbas después de espolvorear el pescado con pasta de chile.

QUERMOULA MARRUECOS CON FRIJOLES MARRUECOS

Porciones: 4

INGREDIENTES

- 4 x 180g filetes de pez rey sin piel
- 2 cucharadas de aceite de oliva
- 1 cebolla finamente picada
- 2 dientes de ajo machacados
- Frasco de 720 g de frijoles mixtos, enjuagados y escurridos
- 1/4 taza de pimiento asado en rodajas
- 125 ml de caldo de pollo
- 1/2 taza de hojas de cilantro

- QUERMOULA
- 2 cucharaditas de pimentón dulce
- 1 cucharadita de jengibre finamente rallado
- 1 cucharadita de hojuelas de chile seco
- 1 cucharadita de comino molido
- 1 cucharadita de cilantro molido
- 1 cucharadita de pimienta blanca molida
- 1/2 cucharadita de cardamomo molido
- 1/2 cucharadita de canela en polvo
- 1/2 cucharadita de todas las especias molidas
- 2 cucharadas de jugo de limón
- 60 ml de aceite de oliva

PREPARACIÓN

1. En un tazón grande, combine todos los ingredientes para la chermoula.

2. Eche el pez rey en la chermoula para cubrirlo uniformemente. Organizar

3. En una cacerola grande, caliente 1 cucharada de aceite y agregue la cebolla. Cocine durante 2-3 minutos, revolviendo ocasionalmente, hasta que se ablanden, luego agregue el ajo y cocine por otros 2 minutos o hasta que esté fragante. Retire la sartén del sol.

En un procesador de alimentos, bata 1/2 taza de frijoles mixtos hasta que quede suave. Combine el puré de frijoles, el pimiento, el caldo de pollo y los frijoles restantes en una cacerola. Cocine por otros 2-3 minutos o hasta que esté completamente caliente. Mantente mojado.

En una sartén mediana, caliente la cucharada de aceite restante. Cocine los filetes de pez rey durante 2-3 minutos por mano, o hasta que esté terminado.

6. Decore con el cilantro y alimente el pez rey con la mezcla de frijoles marroquíes.

PESCADO CHINO AL VAPOR CON JENGIBRE

Porciones: 4

INGREDIENTES

- 4 filetes de ojos azules sin piel de 200 g
- 5 cm de jengibre, en rodajas finas
- 100 ml de caldo de pollo
- 60 ml de vino de arroz chino (shaohsing)
- 4 baby bok choy, en cuartos
- 2 cucharadas de salsa de soja light
- 1 cucharadita de azúcar granulada
- 1/2 cucharadita de aceite de sésamo
- 2 cucharadas de aceite de maní

- 4 cebolletas, en rodajas finas
- Cilantro y arroz al vapor, para servir

PREPARACIÓN

1. Coloque el pescado en una vaporera de bambú en una bandeja. Vierta el caldo y el vino de arroz después de espolvorear el jengibre. Cubra y cocine al vapor durante 5 minutos sobre una olla con agua hirviendo, luego agregue el bok choy, cubra y cocine al vapor por otros 2 minutos o hasta que el pescado esté cocido.

Mientras tanto, calienta la soja, el azúcar, el sésamo y el aceite de maní en una sartén a fuego medio durante 2 minutos.

3) Sazone el pescado y el bok choy con el aderezo, el cilantro y el arroz.

GRÁFICO DE PASTEL DE PESCADO Y CAMARONES AHUMADOS

S.

Porciones: 4

INGREDIENTES

- 750 g de filetes de bacalao ahumado
- 2 1/2 tazas (625 ml) de leche
- 1 cebolla pequeña, picada en trozos grandes
- 1 hoja de laurel
- 1/4 taza de hojas de estragón picadas
- 75 g de mantequilla sin sal, picada
- 50 g de harina 00

- 1 kg de patatas cortadas en trozos de 4 cm
- 100 g de queso cheddar ahumado, rallado
- 350 g de carne de camarón verde

PREPARACIÓN

Precalienta el horno a 200 grados centígrados. En una sartén profunda a fuego medio, combine el pescado, la leche, la cebolla, la hoja de laurel y 1 cucharada de estragón. Sazone con sal y pimienta y deje hervir, luego reduzca a fuego lento y cocine a fuego lento durante 5 minutos, o hasta que los sabores se hayan infundido. Retirar el pescado de la sartén y reservar. Llena una jarra hasta la mitad con leche y escurre.

2.En una cacerola a fuego medio, derrita 50 g de mantequilla. Cocine, revolviendo constantemente, durante 2-3 minutos o hasta que estén doradas. Batir la leche hasta que esté cremosa, luego cocinar durante 2 minutos, revolviendo constantemente, hasta que espese un poco. Condimente con las 2 cucharaditas restantes de estragón.

Mientras tanto, hierva una olla con agua con sal y cocine la papa por 15 minutos o hasta que esté tierna. Escurre la papa, luego regrésala a la sartén y cocina por 30 segundos para eliminar el líquido restante. Sazone con sal y pimienta después de triturar las patatas con 75 g de queso y los 25 g restantes de mantequilla.

4. Batir el pescado, descartando la carne, y combinarlo con los camarones y la salsa en un tazón para horno de 2 litros, revolviendo para combinar. Extienda el puré de

papas por encima, asegurándose de que cubra completamente el relleno. Espolvoree los 25 g restantes de queso y hornee durante 30-35 minutos, o hasta que estén dorados y burbujeantes.

5. Dejar enfriar durante 5 minutos antes de servir.

PEZ ESPADA A LA PLANCHA CON ENSALADA DE UVA, ALMENDRA Y CEBADA

Porciones: 4

INGREDIENTES

- 280 g de cebada perlada, enjuagada
- Ralladura fina y jugo de 1/2 limón
- 2 cucharaditas de hierbas italianas secas
- 100 ml de aceite de oliva
- 4 filetes de pez espada de 220 g
- 1 1/2 cucharadas de vinagre de vino tinto
- 225 g de uvas rojas sin pepitas, cortadas por la mitad
- 1/2 taza (80 g) de almendras tostadas, picadas

- 60 g de grosellas, remojadas en agua tibia durante 10 minutos, escurridas
- 1 manojo de perejil de hoja plana, hojas recogidas
- 2 tallos de apio picados

PREPARACIÓN

1. En una cacerola con agua hirviendo con sal, cocine la cebada durante 25-30 minutos o hasta que esté tierna. Escurre el agua y déjala a un lado para que se enfríe.

2. En una taza aparte, mezcle la ralladura de limón, 1 cucharadita de hierbas italianas y 2 cucharadas de aceite. Sazone con sal y pimienta, luego agregue el pez espada y revuelva para cubrir. Dejar reposar durante 15 minutos para marinar.

3. Para hacer el aderezo, combine el vinagre, el jugo de limón y los 60ml restantes de aceite en un tazón, sazone con sal y pimienta y reserve.

4. Precaliente una sartén o una barbacoa a fuego alto. El pez espada debe cocinarse durante 3 minutos por cada lado o hasta que esté terminado. Descanse durante 5 minutos, cubierto con una hoja de papel de aluminio.

5. Combine la cebada, las uvas, las almendras, las grosellas, el perejil, el apio y la cucharada restante de hierbas italianas en un bol. Vierta el aderezo sobre la ensalada y revuelva para mezclar.

6. Sirve la ensalada con el pez espada encima.

HILO DE TARTA RÁPIDA DE PESCADO

S.

Porciones: 4

INGREDIENTES

- 1 taza (250 ml) de leche
- 2 huevos, ligeramente batidos
- 1 cucharada de eneldo picado
- 1/2 taza (140 g) de yogur griego espeso
- 1/2 cucharadita de pimentón ahumado (pimentón)
- 16 gambas verdes peladas y peladas
- 2 x 150 g de filetes de salmón ahumado caliente, en copos

- 1 taza (120 g) de guisantes congelados, descongelados
- 1 bulbo de hinojo baby, muy finamente picado
- 8 hojas de pasta filo
- 100 g de mantequilla sin sal, derretida, ligeramente enfriada
- Rodajas de limón, para servir

PREPARACIÓN

1. Precalienta el horno a 180 grados centígrados.

2. En un tazón, mezcle la leche, los huevos, el eneldo, el yogur y el pimentón. Vierta la mezcla de leche sobre los camarones, el salmón, los guisantes y el hinojo en cuatro tazones de 350 ml. En una superficie de trabajo limpia, coloque dos hojas de alambre. Unte con mantequilla, luego desmenuce y coloque suavemente el relleno de la torta encima. Repite con el resto de la lana y las tortas.

3. Hornear durante 30 minutos o hasta que la masa esté dorada y crujiente y las gambas estén cocidas. Deje enfriar un poco. Las rodajas de limón se pueden servir con pasteles.

CACCIUCCO CON POLENTA (PESCADO TOSCANO GUISADO CON POLENTA BLANDA)

Porciones: 4

INGREDIENTES

- 60 ml de aceite de oliva virgen extra
- 2 dientes de ajo finamente picados
- 2 cucharadas de hojas de perejil de hoja plana finamente picadas, más hojas adicionales para servir
- 60 ml de vino blanco
- 2 latas de 400 g de tomates picados

- 1,5 l (6 tazas) de caldo de pescado
- 300 g de filete de barramundi o maruca sin piel, deshuesado y cortado en trozos de 3 cm
- 12 gambas verdes, peladas (colas intactas), peladas
- 8 vieiras, sin huevos
- 8 mejillones, pelados y lavados
- 8 almejas, enjuagadas
- 250 g de polenta instantánea

PREPARACIÓN

En una cacerola grande con tapa, calienta el aceite a fuego medio-alto. Cocine, revolviendo constantemente, durante 1-2 minutos, hasta que el ajo y el perejil estén fragantes. Agregue el vino y continúe cocinando por otros 2-3 minutos, o hasta que el vino se haya evaporado por completo. Llevar a ebullición con la pulpa de tomate y el caldo de pescado, luego reducir a medio-bajo y cocinar durante 20-30 minutos, hasta que se reduzca y espese un poco. Cocine durante 1 minuto después de agregar el pescado y los camarones, luego cubra y cocine por otros 1-2 minutos, agitando la olla una o dos veces, hasta que los mejillones y las almejas se hayan abierto y el pescado esté cocido. Retire la sartén del sol.

Mientras tanto, cocine la polenta de acuerdo con las instrucciones del paquete. Es esa época del año.

3. Dividir la polenta en cuatro tazas, verter el guiso encima y cubrir con hojas de perejil.

CEVICHE DE KINGFISH Y CAMARONES

Porciones: 6

INGREDIENTES

- 1 cebolla morada, finamente rebanada
- 200 g de gambas verdes peladas, peladas
- 200g de filetes de pez rey sin piel calidad sashimi (ver nota), deshuesados, cortados en trozos de 1 cm
- 1 diente de ajo machacado
- 1 chile verde largo, sin semillas, finamente picado
- 2 cucharadas de cilantro finamente picado

- 1 taza (250 ml) de jugo de lima (aproximadamente 7 limas), más gajos para servir
- 2 cucharadas de aceite de oliva virgen extra
- Crutones de pan de centeno, para servir

PREPARACIÓN

1. Remoja la cebolla durante 10 minutos en una tina de agua fría. Escurre el agua y déjala a un lado.

Mientras tanto, a fuego medio-bajo, hierva una cacerola pequeña con agua. Prepara las gambas blanqueándolas.

Combine el pez rey, los camarones picados, el ajo, el chile y el cilantro en un plato de cerámica o vidrio. Sazone, luego agregue 5 cubitos de hielo y suficiente jugo de limón para cubrir casi la mezcla. Aplicar un tercio de la cebolla y mezclar para combinar; después de unos momentos, el jugo de lima debe adquirir un tono blanquecino. Sazone el ceviche con sal y pimienta al gusto.

4. Revuelva el aceite después de quitar los cubitos de hielo. Sirve con picatostes y rodajas de lima y decora con la cebolla restante.

CURRY DE PESCADO KERALAN

Porciones: 4

INGREDIENTES

- 2 cucharadas de aceite de girasol
- 2 cucharaditas de panch phoran (mezcla de especias de la India) (ver nota)
- 20 hojas frescas de curry (ver nota)
- 2 cebollas, en rodajas finas
- 2 cucharaditas de cúrcuma molida
- 1 canela
- 2 chiles rojos largos, sin semillas, finamente picados
- 4 cm de jengibre, finamente rallado
- 2 cucharaditas de comino molido

- 1 kg de filetes de pescado blanco firmes (como maruca) cortados en cubos de 4 cm
- 400 ml de leche de coco
- 400 g de tomates picados
- 2 cucharaditas de puré de tamarindo (ver nota)
- 1 cucharadita de azúcar granulada
- Arroz basmati al vapor, hojas de cilantro y rodajas de lima, para servir

PREPARACIÓN

En una sartén grande, caliente el aceite de girasol a fuego medio. Cocine, revolviendo constantemente, durante 1-2 minutos, hasta que el panch phoran y las hojas de curry estén fragantes. Cocine, revolviendo ocasionalmente, durante 5-6 minutos o hasta que la cebolla esté suave, luego agregue la cúrcuma, la canela, el chile, el jengibre y el comino y cocine, revolviendo constantemente, durante 1 minuto o hasta que no esté fragante.

2. Agregue el pescado, revolviendo suavemente para cubrir con la salsa, luego agregue la leche de coco, el tomate picado y 1/2 taza (125 ml) de agua. Cocine durante 10-15 minutos o hasta que el pescado esté bien cocido. Sazone con sal marina y pimienta recién molida después de mezclar el puré de tamarindo y el azúcar granulada.

3. Distribuya el pescado al curry entre los tazones de arroz al vapor. Sirva con rodajas de lima y hojas de cilantro encima.

TACOS DE PESCADO CRUJIENTES CON SALSA DE MANGO

Porciones: 10

INGREDIENTES

- 50 g de harina 00
- 1 cucharadita de pimentón ahumado (pimentón)
- 1 cucharadita de comino molido
- 2 huevos, ligeramente batidos
- 3 tazas (150 g) de pan rallado panko (ver notas)
- 500g de filetes de cabeza plana, cortados en 20 tiras

- Aceite de girasol, para freír
- 10 mini tortillas de harina
- 1/4 de lechuga iceberg picada
- 200 g de crema agria
- Salsa picante (tipo Tabasco) o pimiento rojo largo finamente picado, para servir

SALSA DE MANGO

- 1 mango picado
- 1 aguacate, picado
- 1/2 cebolla morada finamente picada
- 2 cucharadas de cilantro picado, más hojas adicionales para servir
- Jugo de 1 lima, más gajos para servir

PREPARACIÓN

Sazone la harina y las especias en un tazón. Separe el huevo y el pan rallado en dos tazas. El pescado debe primero enharinarse, luego sumergirse en el huevo y luego cubrirse completamente con pan rallado. Espere 15 minutos para que se enfríe.

2.Para hacer la salsa de mango, combine todos los ingredientes en un bol, sazone con sal y pimienta y reserve.

3. Precaliente el horno a 150 grados centígrados. Precaliente una sartén grande o una freidora llena de aceite a 190 ° C (un cubo de pan se dorará en 30 segundos cuando el aceite esté lo suficientemente caliente). Freír el pescado 4 veces durante 1 minuto o

hasta que esté dorado y crujiente. Escúrrelos sobre papel absorbente después de haberlos quitado con una espumadera. Coloque en una bandeja para hornear y mantenga caliente en el horno mientras termina el resto del pescado.

4. Mientras se cocina el último lote de pescado, envuelva las tortillas en papel de aluminio y cocínelas al vapor en el horno.

5. Agregue lechuga, pescado, salsa de mango, crema agria, salsa picante o chile y cilantro extra a las tortillas. Sirva con rodajas de limón a un lado.

HOJAS DE PEZ ESPADA CON ALIÑO DE PIMIENTOS DE CACAHUETE

Porciones: 4

INGREDIENTES

- 2/3 taza (165 ml) de salsa de soja
- 2 cucharadas de azúcar morena
- 4 filetes de pez espada de 200 g, cortados en trozos de 3 cm
- CONDIMENTACIÓN DE CACAHUETES CON PIMIENTA
- 80 ml de aceite de cacahuete

- 8 hojuelas rojas (asiáticas), finamente picadas
- 2 chiles rojos largos, sin semillas, finamente picados
- 4 dientes de ajo finamente picados
- Trozo de jengibre de 3 cm, rallado
- 80 g de azúcar morena bien empaquetada
- 2 cucharadas de salsa de pescado
- Jugo de 2 limones, más gajos para servir
- 50 g de cacahuetes tostados sin sal, picados
- 1/4 taza de cilantro picado, más hojas adicionales para servir

PREPARACIÓN

1. Remoje 8 brochetas de madera durante 30 minutos en agua fría (o use brochetas de metal).

En un recipiente aparte, mezcle la salsa de soja y el azúcar, revolviendo para disolver el azúcar, luego agregue el pescado. Dejar reposar durante 10 minutos para marinar.

3. Caliente 1 cucharada de aceite en una sartén a fuego medio para condimentar. Cocine el escalot durante 3-4 minutos, revolviendo ocasionalmente, hasta que esté dorado. Cocine, revolviendo constantemente, durante 1 minuto o hasta que la guindilla, el ajo y el jengibre estén fragantes. Cocine, revolviendo regularmente, durante 2-3 minutos o hasta que el azúcar comience a caramelizar. Retirar del fuego y agregar la salsa de pescado, el jugo de limón, las nueces, el cilantro, 60 ml de aceite y 1 1/2 cucharada de agua. Pruebe y ajuste los sabores a su

gusto; debe tener una buena mezcla de sabores dulces, ácidos, salados y picantes. Sirve en una fuente para servir.

4. Precaliente una sartén o una barbacoa a fuego alto. Usando las brochetas empapadas, ensarte el pescado en las brochetas. Ase durante 1-2 minutos con ambas manos o hasta que esté carbonizado y terminado.

5. Agregue las hojas de cilantro a las brochetas de pez espada y sírvalas con rodajas de lima y aderezo de chile y maní.

PESCADO COCINADO EN TARRO CON ENSALADA DE HINOJO Y NARANJA

Porciones: 4

INGREDIENTES

- 4 x 180 g de filetes de pescado blanco firmes (como maruca)
- 8 ramitas de tomillo limón
- 8 ramitas de perejil de hoja plana
- 2 cucharadas de aceite de oliva
- 2 dientes de ajo
- 8 granos de pimienta negra enteros
- 4 rodajas de limon
- 2 cucharadas de vino blanco

- Tarro de 400g de judías cannellini, enjuagadas y escurridas
- ENSALADA DE HINOJO Y NARANJA
- 2 bulbos pequeños de hinojo, en rodajas finas (una mandolina es ideal), frondas reservadas
- Jugo de 1/2 limón
- 2 naranjas, peladas y en rodajas
- 1 taza (120 g) de aceitunas kalamata sin hueso
- 1/3 taza de hojas de perejil de hoja plana
- 60 ml de aceite de oliva virgen extra

PREPARACIÓN

1. Coloque 2 filetes de pescado en cada frasco, luego divida el tomillo, el perejil, el aceite de oliva, el ajo, los granos de pimienta, las rodajas de limón y el vino entre los frascos. Cierra y sella el frasco después de sazonarlo con sal marina.

2. Ponga a hervir una olla grande de agua. Coloque los frascos en la sartén con cuidado, asegurándose de que el agua llegue hasta la mitad de los lados. Reduzca el fuego a medio-bajo y continúe cocinando por otros 20 minutos, o hasta que el pescado esté opaco y bien cocido.

Mientras tanto, para la ensalada, combine todos los ingredientes en un tazón grande, sazone con sal marina y pimienta negra recién molida y revuelva suavemente para combinar.

4. Retire los frascos de la sartén con cuidado y déjelos reposar durante 5 minutos. Sirve la ensalada, los

frijoles cannellini y el pescado, luego decora con las hojas de hinojo reservadas.

MOQUECA (GUISADO DE PESCADO BRASILEÑO)

Porciones: 6

INGREDIENTES

- 1 kg de filete de pescado blanco firme y sin piel (tipo pargo rojo), con púas, cortado en cubos de 3 cm
- 80 ml de zumo de lima
- 60 ml de aceite de oliva
- 1 cebolla morada, finamente rebanada
- 1 pimiento verde, en rodajas finas
- 1 pimiento rojo, en rodajas finas
- 3 dientes de ajo finamente picados

- 2 chiles rojos cortos, finamente picados
- 2 tazas (500 ml) de caldo de pescado
- 400 g de tomates picados
- 270 ml de leche de coco
- 1 cucharada de aceite de coco virgen (ver nota)
- 6 gambas verdes grandes, peladas (colas intactas), peladas
- Hojas de cilantro y arroz al vapor, para servir

PREPARACIÓN

1) Vierta el pescado con 2 cucharaditas de jugo de limón y 1 cucharadita de sal marina en un tazón grande de cerámica. Para marinar, enfriar durante 30 minutos.

2. En una cacerola grande, caliente el aceite de oliva a fuego medio. Cocine por 3 minutos o hasta que la cebolla se ablande.

3. Agregue el pimiento, el ajo y la guindilla y cocine por otros 5 minutos o hasta que el pimiento se ablande, revolviendo ocasionalmente.

En un tazón grande, combine el caldo, los tomates, la leche de coco y el aceite de coco. Llevar a ebullición, luego reducir a medio y cocinar durante 20-25 minutos o hasta que el líquido se haya reducido ligeramente.

5. Agregue los camarones, el pescado y el jugo de la marinada y cocine por otros 8-10 minutos o hasta que los mariscos estén cocidos. Sazone al gusto con las 2 cucharadas restantes de jugo de limón. Sirve con arroz y cilantro.

ENSALADA DE LIMÓN MOLIDO CON HINOJO, PEREJIL Y ALCAPARRAS

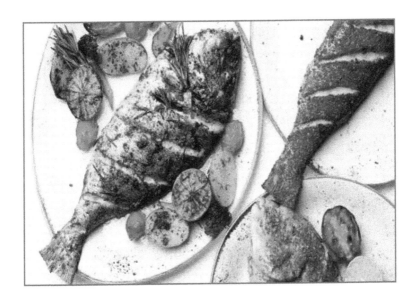

Porciones: 4

INGREDIENTES

- 60 ml de aceite de oliva virgen extra, más una cantidad extra para condimentar
- 2 dientes de ajo finamente picados
- La cáscara finamente rallada de 2 limones, más jugo de limón para rociar
- 1 taza (70 g) de pan rallado fresco

- 2 cucharaditas de tomillo limón picado u hojas de tomillo regular
- 2 cucharadas de queso parmesano rallado
- 4 x 200 g de filetes de pescado blanco firme, deshuesado y sin piel (como el ojo azul)
- 1 hinojo
- 50 g de hojas tiernas de espinaca
- 1/2 manojo de perejil de hoja plana, hojas picadas
- 2 cucharadas de alcaparras baby, enjuagadas y escurridas

PREPARACIÓN

1. Precaliente el horno a 190 grados centígrados. En una sartén para horno, caliente 2 cucharadas de aceite a fuego lento. Cocine por 2-3 minutos o hasta que el ajo y la ralladura estén suaves. Cocine, revolviendo constantemente, durante 2-3 minutos, o hasta que el pan rallado esté completamente cubierto de aceite (pero no dorado). Condimentar con sal y pimienta y pasar en un bol con tomillo y parmesano.

2.Limpiar la sartén y calentar la cucharada restante de aceite a fuego medio. Cocine por 1 minuto antes de adornar con la mezcla de pan rallado (no se preocupe si se cae a la sartén). Mete al horno y cocina por 8 minutos, o hasta que las migas estén doradas y el pescado esté cocido.

3. Retirar del horno, colocar en un plato y dejar enfriar durante 5 minutos.

4. Hacer la ensalada mientras el pescado reposa. Afeitar finamente el hinojo con una mandolina o un cuchillo afilado. Combine las espinacas, el perejil y las alcaparras en un bol. Sazone con sal y pimienta, luego rocíe con jugo de limón y aceite adicional, revolviendo para mezclar.

5. Sirva el pescado inmediatamente con la ensalada de hinojo.

PLATO DE PESCADOS Y ALMEJAS

Porciones: 6

INGREDIENTES

- 1 kg de almejas (almejas)
- 1 cucharada de aceite de oliva
- 250 g de tocino, pelado de grasa, cortado en palitos
- 1 cebolla picada
- 2 dientes de ajo finamente picados
- 2 cucharadas de harina 00
- 1 litro de caldo de pescado
- Manojo de hojas de tomillo, atado con cordel de cocina

- 1 hoja de laurel
- 500 g de patatas Desiree, peladas y cortadas en trozos de 2-3 cm
- 1 taza (250 ml) de leche
- 1 taza (250 ml) de crema pura (fina)
- 500 g de filetes de pescado blanco sin piel, deshuesados (maruca u ojos azules), cortados en trozos de 3 cm
- Perejil finamente picado y pan crujiente, para servir

PREPARACIÓN

Para extraer la arena, remojar las almejas en un recipiente con agua fría durante 15 minutos. Renuncia al método.

En una cacerola grande, calienta el aceite a fuego medio-alto. Cocine, revolviendo ocasionalmente, durante 3-4 minutos o hasta que se forme grasa. Cocine por otros 2-3 minutos o hasta que la cebolla y el ajo se ablanden.

Agrega la harina y bate para mezclar. Mezclar el caldo, el tomillo, el laurel y la patata hasta que todo esté bien combinado. Es esa época del año. Baje el fuego a fuego medio-bajo y cocine por 20 minutos, o hasta que un cuchillo pequeño y afilado atraviese la papa casi tierna en el centro.

Luego agregue la leche y la nata, seguido del pescado. Reducir a fuego lento y cocinar durante 8 minutos o hasta que el pescado esté recién terminado.

Escurre las almejas, devuélvelas a la sartén y cocina por otros 3-4 minutos, o hasta que las almejas estén completamente cocidas y las conchas se hayan abierto.

Sazone con pimienta negra recién molida y un cucharón de sopa en tazas calientes. Sirve con pan crujiente para absorber el líquido y decora con perejil.

PESCADO AL HORNO CON SALSA VERDE Y ROMERO PATATAS

Porciones: 4

INGREDIENTES

- 500 g de patatas pequeñas (como Anya o coliban), en rodajas finas (una mandolina es ideal)
- 1 limón, en rodajas finas (una mandolina es ideal), más 2 cucharaditas de ralladura fina
- 2 cucharadas de romero picado
- 185 ml de aceite de oliva
- 1 diente de ajo

- 1 taza de perejil de hoja plana
- 1 taza de hojas de albahaca
- 2 cucharadas de alcaparras, enjuagadas, escurridas
- 4 x 180 g de filetes de pescado blanco firme (como ojo azul)

PREPARACIÓN

. Precalienta el horno a 200 grados centígrados.

Rocíe la papa, las rodajas de limón y el romero con 60 ml de aceite, luego extiéndalos en una sola capa sobre una bandeja para hornear. 10 minutos en el horno

Mientras tanto, pique finamente el ajo, el perejil, la albahaca, la ralladura de limón y las alcaparras en un procesador de alimentos para hacer la salsa verde. Vierte lentamente la 1/2 taza (125 ml) restante de aceite de oliva en la mezcla mientras el motor está en marcha. Eliminar de la ecuación.

Saca el pescado del horno y colócalo encima de la sartén, con una rodaja de limón de la sartén encima de cada filete. Sazone con sal y pimienta, luego hornee por otros 8 minutos o hasta que el pescado esté bien cocido.

Sirva con salsa verde espolvoreada encima.

ENSALADA DE ENTRANTES DE MARISCOS

Porciones: 4

INGREDIENTES

- 125 ml de vino blanco
- 1 kg de mejillones preparados
- 2 calabacines pequeños
- 1 taza de rúcula silvestre
- 12 tomates cherry, cortados por la mitad
- 40 g de aceitunas kalamata deshuesadas
- 1 cucharada de alcaparras, enjuagadas, escurridas
- 12 camarones cocidos, pelados (colas intactas), peladas

- 1/2 taza (100 g) de tiras de pimiento rojo asado compradas en la tienda
- 4 corazones de alcachofas en salmuera, enjuagadas, cortadas por la mitad
- 4 palitos de pan (palitos de pan delgados)
- Rodajas de limón, para servir

PREPARACIÓN

. En una cacerola grande a fuego alto, hierva el vino. Cocine durante 2 minutos, agitando la sartén de vez en cuando, después de insertar los mejillones. Los mejillones abiertos deben transferirse a un tazón grande, luego tapar y cocinar durante otros 1-2 minutos, agitando la sartén de vez en cuando, hasta que todos los mejillones se hayan abierto. Coloque los mejillones en un bol y reserve.

Corta los calabacines en tiras largas y delgadas con un pelador de patatas o una mandolina, luego combínalos con rúcula, tomates, aceitunas y alcaparras en una taza. Sazone con sal y pimienta y revuelva para mezclar.

4 platos con ensalada de mejillones, gambas, pimientos, alcachofas y calabacines Servir con rodajas de limón y palitos de pan.

CONCLUSIÓN

PROPORCIONA ÁCIDOS GRASOS OMEGA-3

Una de las principales razones por las que el pescado es tan bueno para nosotros es porque contiene altos niveles de ácidos grasos omega-3. En un mundo donde la mayoría de la gente consume demasiados ácidos grasos omega-6 de aceites vegetales refinados, aderezos para ensaladas y especias procesadas, existe una necesidad urgente de aumentar los alimentos omega-3.

Los ácidos grasos omega-3 actúan como un contrapeso de las grasas omega-6 y ayudan a contener la inflamación al equilibrar los niveles de ácidos grasos omega-3 y omega-6. Los ácidos grasos omega-3 se consideran antiinflamatorios, mientras que los ácidos grasos omega-6 son antiinflamatorios. Necesitamos ambos tipos, pero muchas personas carecen de ácidos grasos omega-3. El consumo de niveles más altos de omega-3 se ha relacionado con una mejor salud mental, niveles más bajos de triglicéridos, mejor salud reproductiva y fertilidad, mejor control hormonal y menor riesgo de diabetes.

AYUDA A REDUCIR LA INFLAMACIÓN

La razón por la que los omega-3 en el pescado son tan valiosos se debe principalmente a su capacidad para combatir la inflamación. Ayudan a controlar las enfermedades inflamatorias que conducen a numerosas enfermedades, como el cáncer, la artritis reumatoide y el asma.

Ambos tipos de grasas poliinsaturadas descritas anteriormente juegan un papel importante en el cuerpo y contribuyen a la formación de nuestras hormonas, membranas celulares y respuestas inmunes. Pero los ácidos grasos omega-3 y omega-6 tienen efectos opuestos cuando se trata de inflamación. En general, demasiados omega-6 y muy pocos omega-3 causan inflamación. Se cree que la inflamación contribuye al desarrollo de afecciones crónicas como cáncer, diabetes, enfermedades cardíacas y más.

PROMUEVE LA SALUD DEL CORAZÓN

EPA y DHA son dos ácidos grasos omega-3 esenciales para controlar la inflamación y promover la salud del corazón. Los estudios muestran que el consumo diario de EPA y DHA puede ayudar a reducir el riesgo de enfermedad cardíaca y muerte por enfermedad cardíaca, a veces tan eficaz como los medicamentos recetados como las estatinas. La combinación de nutrientes en los mariscos también ayuda a regular los latidos del corazón, reducir la presión arterial y el colesterol, reducir la formación de coágulos sanguíneos y reducir los triglicéridos. Todos estos pueden ayudar a proteger contra enfermedades cardíacas y accidentes cerebrovasculares.

PUEDE AYUDAR A PROTEGER CONTRA EL CÁNCER

La investigación muestra que comer más pescado y mariscos con alto contenido de omega-3 beneficia al sistema inmunológico y ayuda a combatir el cáncer al suprimir la inflamación. Si bien una dieta vegetariana se ha relacionado con una menor incidencia de ciertos cánceres (como el cáncer de colon), el pescatarianismo se asocia con un riesgo aún menor que los vegetarianos y no vegetarianos, según algunos estudios.

Varios estudios también sugieren que consumir muchos ácidos grasos omega-3 puede ayudar a las personas diagnosticadas previamente con cáncer al detener el crecimiento del tumor. Un estilo de vida de pesca con alto contenido de omega-3 también puede ayudar a las personas que se someten a quimioterapia u otros tratamientos contra el cáncer, ya que ayudan a mantener la masa muscular y a regular las respuestas inflamatorias que ya están alteradas en los pacientes con cáncer.

LUCHA CONTRA LA DECLINACIÓN COGNITIVA

Los ácidos grasos omega-3 como el DHA son vitales para el desarrollo adecuado del cerebro y el mantenimiento de la función cognitiva en la vejez. Muchos estudios han demostrado que los niveles bajos de omega-3 en los ancianos están relacionados con varios marcadores de deterioro de la función cerebral, incluida la demencia o la enfermedad de Alzheimer. Los niveles más bajos de omega-3 durante el embarazo incluso se han relacionado con bebés con puntajes más bajos en las pruebas de memoria y dificultades de aprendizaje.

LEVANTAR EL ESTADO DE ÁNIMO

Debido a que combaten el estrés oxidativo, que afecta el funcionamiento adecuado del cerebro, los omega-3 en el pescado y el marisco se han relacionado con una mejor salud mental y un menor riesgo de demencia, depresión, ansiedad y TDAH. Esto significa que una dieta pescatariana puede ser un remedio natural contra la ansiedad y ayudar a controlar los síntomas del TDAH mientras lucha contra los síntomas de la depresión.

APOYA LA PÉRDIDA DE PESO

Muchas personas han comenzado a usar la dieta pescatariana para bajar de peso, y por una buena razón. Una baja ingesta de ácidos grasos omega-3 se ha relacionado con la obesidad y el aumento de peso. Los estudios también muestran que las personas que consumen más alimentos de origen vegetal (incluidos los vegetarianos) tienden a tener un IMC más bajo y un mejor control del peso, probablemente porque consumen más fibra y menos calorías.

No solo eso, las proteínas y grasas saludables son clave para sentirse lleno, y muchos de los nutrientes que se encuentran en el pescado pueden ayudar a reducir el apetito. Independientemente de su dieta, intente consumir una gran cantidad de frutas, verduras, proteínas de alta calidad, grasas saludables, semillas, nueces, fibra y fitoquímicos. Todos estos pueden ayudarlo a perder peso rápidamente y no recuperarlo.

Lightning Source UK Ltd.
Milton Keynes UK
UKHW020642280521
384532UK00005B/61